安房直子 絵ぶんこ5

雪《ゆき》窓《まど》

安房直子 文　長谷川あかり 絵

1

山《やま》のふもとの村《むら》に、おでんの屋台《やたい》が出《で》ました。

ぽっとあかりのともった四角《しかく》い窓《まど》の中《なか》には、はちまきをしたおやじさんが、あいそよくわらっています。〈おでん・雪窓《ゆきまど》〉と書《か》かれたのれんが、ぴらぴら風《かぜ》にゆれています。

「雪窓《ゆきまど》ってのは、店《みせ》の名《な》まえかね。」

お客《きゃく》のひとりが、たずねました。

「まあそんなもんです。」

からしを練《ね》りながら、おやじさんは、答《こた》えました。

「ふうん。しかし、雪《ゆき》もふらないうちから雪窓《ゆきまど》ってのは、どういうのかね。」

「それでも、おでんは、冬《ふゆ》のものですから。」

おやじさんは、そういってから、この答《こた》えは、すこしとんちんかんだったかな
と思《おも》いました。

山《やま》の冬《ふゆ》は早《はや》いのです。

はじめて雪《ゆき》がふって、あたりが、うっすらと白《しろ》くなった晩《ばん》、峠《とうげ》のほうから、厚《あつ》いコートのお客《きゃく》がひとり、ころがるように、屋台《やたい》にやってきました。

「さむさむさむ」と、お客《きゃく》はいいました。それから、両手《りょうて》をこすりながら、

「三角《さんかく》のぷるぷるっとしたやつください。」

と、注文《ちゅうもん》しました。

「三角《さんかく》のぷるぷる？」

おやじさんが、ひょっと顔《かお》をあげますと、これはなんと、たぬきです。目玉《めだま》は、まんまるで、しっぽは、上等《じょうとう》の大筆《おおふで》みたいに、ふっさりしているのです。けれど、そんなことでおやじさんは、おどろいたりはしません。山《やま》には、てんぐだって鬼《おに》だって、ひとつ目《め》だって、それから、もっともっとふしぎなものが、どっさりいることを、むかしから聞《き》いていましたから。そこで、おやじさんは、まじめな顔《かお》で、

「なにがほしいって？」

とたずねました。するとたぬきは、おなべの中《なか》をのぞきこんで、

「ほら、それそれ、三角《さんかく》のそれ。」

と、いいました。

「なんだ、こんにゃくか。」

おやじさんは、吹《ふ》きだしそうになりながら、こんにゃくを、お皿《さら》にとって、からしをたっぷりそえてやりました。するとたぬきは、上《じょう》きげんでしゃべります。

「おでんの店《みせ》はいいですねえ。それに雪窓《ゆきまど》だなんて、ほんとにすてきな名《な》まえなんだから。ぼくは、もう、すっかり感心《かんしん》しちゃって。」

「気《き》に入《い》ったかい。」

「気《き》に入《い》りましたとも。雪景色《ゆきげしき》の中《なか》に、屋台《やたい》のあかりだけが、うかびあ

がって見《み》えるんだもの。その窓《まど》の中《なか》で、ゆげがあがって、おもしろそうな笑《わら》い声《ごえ》なんかして……ぼくも一回《かい》、雪窓《ゆきまど》のお客《きゃく》になってみたいと思《おも》ってました。」

これを聞《き》いて、おやじさんは、すっかりうれしくなりました。たぬきは、こんにゃくをぱくりと食《た》べると、

「おでんの煮方《にかた》は、むずかしいですかね。」

と、たずねました。

「ああ、むずかしいね。」

「何年《なんねん》ぐらい、修業《しゅぎょう》がいりますかね。」

「わしは、ちょうど十年《ねん》だ。」

「十年《ねん》！」

たぬきは、ぶるぶるっと頭《あたま》をふって、

「たぬきの寿命《じゅみょう》より長《なが》いじゃないか」と、さけびました。


それから、たぬきは、毎晩《まいばん》やってきたのです。そして、そのたびに、おでんのことを、あれこれたずねるものですから、ある晩《ばん》、おやじさんは、思《おも》いきって、こういいました。

「おまえさん、うちの助手《じょしゅ》になるかい。」

「じょしゅといいますと？」

「仕事《しごと》の手《て》つだいをするのさ。火《ひ》をおこしたり、水《みず》をくんできたり、かつおぶしをけずったりするのさ。」

これを聞《き》いて、たぬきは、おどりあがりました。

「願《ねが》ったりかなったりです。こんなにうれしいことはありません。」
そういうなり、たぬきは、さっさと屋台《やたい》の中《なか》へはいりこんできました。そこで、
おやじさんは、長《なが》いおはしで、おなべの中《なか》のものを、ひとつひとつつまみあげて、
ていねいにおしえました。
「これ、だいこん
これ、キャベツ巻《ま》き
これ、ちくわ。」
たぬきは、そのたびに、ふんふんとうなずきましたが、また、かたっぱしから
わすれるのでした。

それでも、たぬきは、よく働《はたら》いてくれたのです。とくに、さといもを洗《あら》うのなんか、うまいものでした。たぬきがきてからというもの、おやじさんの仕事《しごと》は、ずいぶんらくになりましたし、家族《かぞく》がひとりできたようで、しあわせな気分《きぶん》にもなれるのでした。

それまで、おやじさんは、ひとりぽっちでしたから。だいぶむかしに、おかみさんをなくし、すこしむかしに、おさない娘《むすめ》をなくしました。娘《むすめ》の名《な》まえは、美《み》代《よ》といいました。小雪《こゆき》の舞《ま》う晩《ばん》なんかに、よくおやじさんは、遠《とお》い空《そら》のほうから、美《み》代《よ》の泣《な》き声《ごえ》が、うわーんと、わいてくるような気《き》がするのです。お客《きゃく》が、みんな帰《かえ》ってしまって、屋台《やたい》のあかりを消《け》すとき、ひとりぽっちのおやじさんは、いちばん、さびしいと思《おも》うのでした。

ところが、たぬきがきてから、あかりを消《け》すまえは、かえって、ゆかいなひときになりました。お客《きゃく》が帰《かえ》ってしまうと、たぬきは、コップをふたつ、かちん

となべて、

「さあ、おやじさん、酒《さか》もりしましょう。」

と、いうのでしたから。お酒《さけ》を飲《の》みながら、たぬきは、おもしろい話《はなし》をしてくれましたし、歌《うた》もうたってくれました。すると、おやじさんは、すっかり気分《きぶん》がよくなって、世《よ》の中《なか》が、ひとまわりも、ふたまわりも、ひろがったような気《き》になるのでした。

2

さて、雪《ゆき》がどっさりつもったある晩《ばん》のこと。

やっぱり、あかりを消《け》すまえに、たぬきは、かちんと、コップをならべました。

ところが、このとき、外《そと》で、

「もうひと皿《さら》ください」という声《こえ》がしました。まだひとり、お客《きゃく》が残《のこ》っていたのです。

「や、とんだ失礼《しつれい》を。」

そういって、おやじさんが、よくよくながめると、女《おんな》のお客《きゃく》でした。かくまきを、頭《あたま》からすっぽりかぶって、まるで、雪《ゆき》の影《かげ》のように、ひっそりとすわっていたのです。それにしても、こんな時刻《じこく》に、女《おんな》の人《ひと》が、おでんの屋台《やたい》にいるなんて、

すこしみょうじゃありませんか。

「もし」と、おやじさんは、声《こえ》をかけました。すると、お客《きゃく》は、顔《かお》をあげて、にっこりわらいました。まだ若《わか》い娘《むすめ》でした。えくぼがふたつ、ぽくっとよりました。このとき、おやじさんは、はっとしました。その顔《かお》は、どことなく、美代《みよ》にていましたから。おやじさんは、まじまじと、娘《むすめ》の顔《かお》を見《み》つめて、それから、心《こころ》の中《なか》で、美代《みよ》が死《し》んでからの年月《ねんげつ》を、こっそりかぞえてみました。

(生《い》きてりゃ、十六だ。)

そう思《おも》って見《み》ると、かくまきの娘《むすめ》は、ちょうど、十六ぐらいでした。

「あんた、どこからきなすった。」

おそるおそる、おやじさんは、たずねました。すると、娘《むすめ》は、すきとおった声《こえ》で、

「峠《とうげ》をこえてきました」と、いいました。

おやじさんは、ぎょうてんしました。この雪《ゆき》の中《なか》を、山《やま》ひとつこえるのは、たいへんなことですから。男《おとこ》の足《あし》だって、まる一日《にち》はかかるでしょう。

「ほんとかね。山《やま》のむこうは、野沢村《のざわむら》だよ。あそこからきたのかね。」

おやじさんは、念《ねん》をおすように、たずねました。

「はい、野沢村《のざわむら》からきました」と、娘《むすめ》は、答《こた》えました。

「どうしてそんな遠《とお》くから。」

すると、娘《むすめ》は、にっこりわらって、

「雪窓《ゆきまど》のおでんが食《た》べたくて。」

と、いったのです。

「そりゃまた、ごくろうな……。」

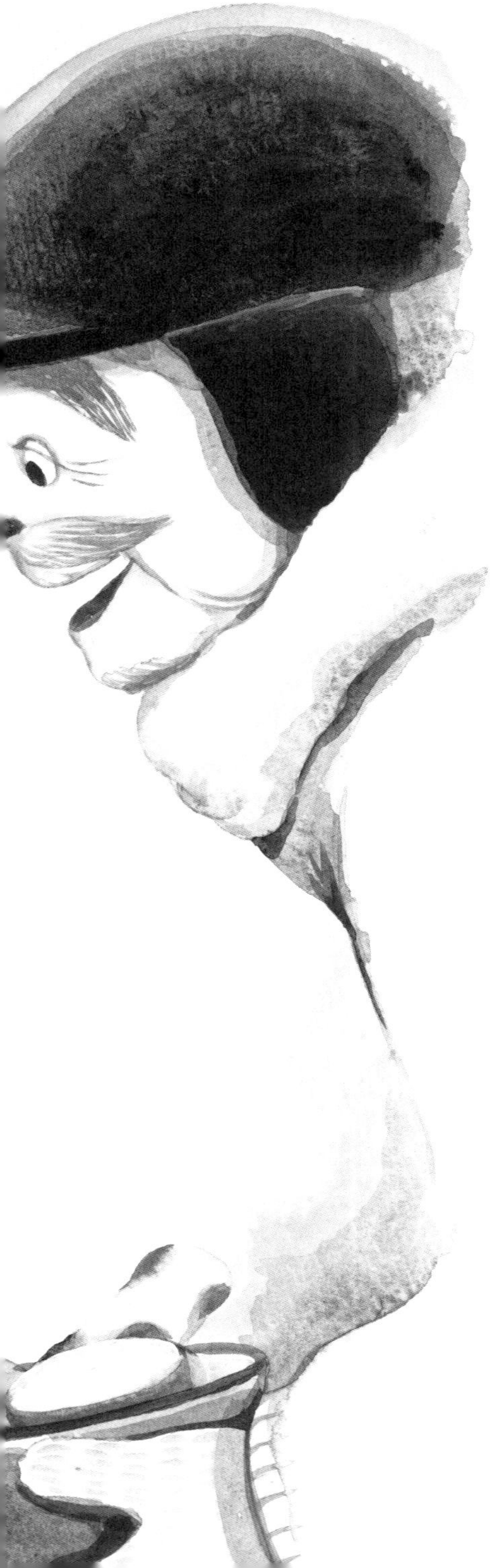

おやじさんは、きゅうにうれしくなって、ほくほくとわらいました。

「それじゃ、あんたは、野沢村《のざわむら》の人《ひと》かね。」

娘《むすめ》は、なにも答《こた》えず、ほそい目《め》でわらいました。見《み》れば見《み》るほど、美代《みよ》によく

にているとおやじさんは、思《おも》いました。

このとき、たぬきは、屋台《やたい》の奥《おく》に、じっとすわっていましたが、ふと、たぬきのかんで、こう思《おも》いました。

（ありゃもしかしたら、雪女《ゆきおんな》じゃないだろうか。）

そういえば、色《いろ》が白《しろ》くて、ほほのあたりだけ、ほんのりともも色《いろ》なのです。たぬきは、むかし、山《やま》で見《み》た雪女《ゆきおんな》のことを思《おも》いだしました。

まだ子《こ》だぬきのころ、母《かあ》さんと、穴《あな》にもぐっていたら、まっ白《しろ》い素足《すあし》が、穴《あな》の前《まえ》を、すうっと通《とお》ったのです。子《こ》だぬきは、思《おも》わず、穴《あな》から首《くび》をだそうとしました。すると、母《かあ》さんだぬきが、

「およし」と、止《と》めたのです。

「あれは、雪女《ゆきおんな》の足《あし》だよ。外《そと》に出《で》ちゃいけないよ。雪女《ゆきおんな》につかまったらさいご、こごえてしまうんだから。」

そんなわけで、たぬきは、雪女《ゆきおんな》の足《あし》しか見《み》なかったのですが、あのときの素足《すあし》

と、この娘《むすめ》の顔《かお》とは、なんだか、つながっているような気《き》がしました。たぬきは、おやじさんの背中《せなか》を、トントンたたいて、ささやきました。

「おやじさん、それは、雪女《ゆきおんな》ですよ。雪女《ゆきおんな》につかまったら、こごえてしまいますよ。」

けれど、おやじさんは、ふりむきもしませんでした。娘《むすめ》が、おいしそうにおでんを食《た》べるのを、ただもう、うれしそうに見《み》ているのでした。おでんをきれいに食《た》べおわると、娘《むすめ》は、立《た》ちあがりました。

「もう、帰《かえ》るのかい。」

なごりおしそうに、おやじさんは、娘《むすめ》を見《み》つめました。娘《むすめ》は、

「またきます」と、いいました。

「おお、そうかい。またきてくれるかい。」

おやじさんは、いくどもうなずきました。

「気《き》をつけて帰《かえ》るんだよ。かぜ、ひくんじゃないぞ。またおいでよ。」

かくまきのうしろ姿《すがた》にむかって、おやじさんは、いくども、またおいでよ、またおいでよと、呼《よ》びかけるのです。うしろで、たぬきが、その背中《せなか》をつつきました。

「おやじさん、あれは、雪女《ゆきおんな》ですよ。ねえ。」

するとおやじさんは、ふりむいて、それはうれしそうにこういいました。

「いいや、あれは、美代《みよ》だよ。」

「へえ？」

「娘《むすめ》の美代《みよ》に、そっくりなんだ。えくぼのよるところなんかね。目《め》のほそいところなんかね。それから、たぶん、としかっこうもねえ。」

このとき、おやじさんは、目《め》の前《まえ》に、小《ちい》さな白《しろ》いものが、ふわりと置《お》いてあるのに気《き》づきました。おや、と思《おも》って、とりあげてみますと、それは、手袋《てぶくろ》なのでした。まっ白《しろ》い、アンゴラの手袋《てぶくろ》が、片方《かたほう》だけ——。

「おい、わすれものだ」と、おやじさんはさけびました。

「どれどれ。」

たぬきは、手袋《てぶくろ》を、しげしげと見《み》つめて、すっかり感心《かんしん》しました。

「こりゃ、上等《じょうとう》の品物《しなもの》ですね。アンゴラうさぎの皮《かわ》じゃありませんか。」

それから、とても考《かんが》えぶかげな顔《かお》で、こういいました。

「そんなら、あれは人間《にんげん》だ。雪女《ゆきおんな》は、手袋《てぶくろ》なんかしてないからね。あのひと、またきますよ。こんないい手袋《てぶくろ》をわすれて、それっきりってことはないから。」

「そうだろうか。」

おやじさんは、うれしそうにわらうと、手袋《てぶくろ》を、ふところにしまいました。

ところが、それからいく日待《にちま》っても、かくまきの娘《むすめ》は、あらわれません。

「きょうもこなかった。」

「きょうもこなかった。」

おやじさんは、毎晩《まいばん》、そうつぶやいてうなだれるのでした。

十日《か》も二十日《はつか》もたちました。

雪《ゆき》の上《うえ》に雪《ゆき》がつもり、それが、ピカピカとこおりました。雪窓《ゆきまど》のお客《きゃく》は、みんな、白《しろ》い息《いき》をはき、

「おやじさん、寒《さむ》いねえ」と、やってくるのです。

「ああ、寒《さむ》いねえ。」

おやじさんは、あいづちをうちながら、ときどき、注文《ちゅうもん》の、だいこんと、さといもをまちがえたり、うっかりおつゆをこぼしたりするのです。そして、なんだか、うわのそらみたいな顔《かお》で、遠《とお》い山《やま》のほうを見《み》ているのでした。

ある晩《ばん》、おやじさんは、たぬきに、こういいました。

「ひとつ、野沢村《のざわむら》まで行《い》ってみようか。」

「へえ？　この雪《ゆき》の中《なか》を、どうやって……。」

「屋台《やたい》をひっぱって、山《やま》ひとつこえてゆくのさ。ときどき、場所《ばしょ》をかえて商売《しょうばい》するのも、おもしろいもんだよ。」

これを聞《き》いて、たぬきは、すねたように、横《よこ》をむきました。

「おやじさん、そんなこといわなくとも、ちゃーんと知《し》ってますよ。あの子《こ》をさがしにゆくんでしょ。」

おやじさんは、ふところに手《て》を入《い》れて、

「ああ。あの子《こ》は、片手《かたて》が、つめたかろうと思《おも》ってね」と、つぶやきました。

「それでも、山《やま》は寒《さむ》いですよ。」

「だいじょうぶさ。厚《あつ》いえりまきしてるから。」

「それでも、山《やま》には、いろんなものがいますよ。鬼《おに》やら、てんぐやら、ひとつ目《め》やら。」

「だいじょうぶさ。人《ひと》一《いち》倍《ばい》、度《ど》胸《きょう》はあるから。」

「そうですか。そんなら、おともいたしましょう。」

たぬきは、忠《ちゅう》実《じつ》なけらいのように、うなずきました。

3

雪窓《ゆきまど》の屋台《やたい》を、ガラガラとひっぱって、おやじさんとたぬきが出発《しゅっぱつ》したのは、その翌日《よくじつ》、どんよりとした雪《ゆき》の日《ひ》でした。

野沢村《のざわむら》への道《みち》は、けわしいのです。

昼《ひる》はそれでもバスや人《ひと》の行《ゆ》きかいがあるのですが、夜《よる》になると、あたりは、おそろしいほど静《しず》まりかえりました。そのうえ、雪《ゆき》の山道《やまみち》は、思《おも》いのほか歩《ある》きにくく、たぬきは、三度《ど》も、すべってころびました。

「おやじさん、あと、どれほどですか。」

屋台《やたい》のうしろで、たぬきは、なさけない声《こえ》をあげました。

「まだまだ、たんとあるよ。」

おやじさんは、のんびり答《こた》えました。そういえば、てんぐが住《す》むという森《もり》もま

だですし、けわしい、ひとつ目《め》峠《とうげ》も、まだこえていません。北風《きたかぜ》が吹《ふ》いて、粉雪《こなゆき》が、ひゅーんと舞《ま》いました。

「あかりをつけようか。」

おやじさんは、屋台《やたい》のランプをともしました。すると、雪《ゆき》の夜道《よみち》に、小《ちい》さな四《し》角《かく》い光《ひかり》が、くっきり落《お》ちました。その中《なか》で、のれんの影《かげ》が、ゆらゆらゆれました。

きゅうに、たぬきは、うきうきしてきました。

「ほっ、あかりがつくと、気持《きも》ちがらくになりますね。お客《きゃく》さんがくるような気《き》がしますね。」

するとこのとき、うしろで、こんな声《こえ》がしました。

――ゆきまどさん――

たぬきは、ぴくりと耳《みみ》を動《うご》かして、はて、そら耳《みみ》かしらと思《おも》いました。ところが、こんどは、前《まえ》でだれかが呼《よ》ぶのです。

――ゆきまどさん――

おやじさんも足《あし》を止《と》めて、はて気《き》のせいかしらと思《おも》いました。こんな暗《くら》い山《やま》の中《なか》に、お客《きゃく》がくるわけがありません。それでも、ふたりは、屋台《やたい》を止《と》めて、しばらく、あたりを見《み》まわしました。すると、いきなり、風《かぜ》がぴゅーっと吹《ふ》いて、前《まえ》からも、うしろからも、右《みぎ》からも、左《ひだり》からも、ほそい声《こえ》が、ざわざわとわきおこったのです。

――ゆきまどさん、ゆきまどさん、ゆきまどさーん――

「へーい。」

思《おも》わず、おやじさんは、大声《おおごえ》をあげました。すると、声《こえ》は、ぴたりとやみました。

だれもいません。雪《ゆき》をかぶった木々《きぎ》が、いろんなかっこうで、しいんと立《た》っているだけでした。

「ちえっ」と、たぬきは、舌《した》うちしました。

「おやじさん、こりゃ木《き》の精《せい》のいたずらだ。知《し》らんふりして、どんどん進《すす》みましょう。」

ごとんと、雪窓《ゆきまど》は、動《うご》きはじめました。

車《くるま》をひっぱりながら、おやじさんは、ふと、いまの呼《よ》び声《ごえ》は、美代《みよ》の声《こえ》ににているなと思《おも》いました。

美代《みよ》は、六つのときに、病気《びょうき》で死《し》にました。やっぱり、こんな冬《ふゆ》の晩《ばん》、熱《ねつ》で、火《ひ》の玉《たま》のようにあつい美代《みよ》をせおって、峠《とうげ》をこえたのは、ちょうど、ひとむかしまえになります。

あの夜《よる》は、満月《まんげつ》でした。その、こおるような月《つき》あかりをあびて、おやじさんは、てんぐの森《もり》や、ひとつ目峠《めとうげ》を、さっささっさと、かけぬけたのです。そうして、夜《よ》ふけに、やっと野沢村《のざわむら》の医者《いしゃ》の家《いえ》についたとき、背中《せなか》の美代《みよ》は、つめたくなっていました。

そのとき、おやじさんは、本気《ほんき》でこう思《おも》いました。

いま通《とお》ってきた道《みち》の、いったいどこで、美代《みよ》のたましいは、とんでしまったんだろうと。いますぐひきかえしたら、峠《とうげ》のあたりで、しくしく泣《な》いている美代《みよ》のたましいを、とりもどせるのじゃないだろうかと。

十年《ねん》たった今《いま》でも、おやじさんは、やっぱりそう思《おも》うのでした。だから、あの晩《ばん》、山《やま》のほうから、かくまきの娘《むすめ》がやってきたときは、もう、きもがつぶれるほど、びっくりしたのでした。

「まったくなあ。美代《みよ》にそっくりなんだから。」

おやじさんは、片手《かたて》を、そっとふところにつっこんで、あの手袋《てぶくろ》にふれてみました。

東《ひがし》の風《かぜ》に西《にし》の風《かぜ》、南《みなみ》の風《かぜ》に北《きた》の風《かぜ》
うしろで、たぬきがうたっています。おやじさんは、ほーいほーいと、拍子《ひょうし》をとりました。
やがて、森《もり》にさしかかりました。屋台《やたい》のあかりは、ちらちらと、ついたり消《き》えたりします。
と、ふいに、上《うえ》のほうで、かんだかい声《こえ》がひびきました。

「ゆきまどさん、だいこんは煮《に》えてるかい。」

おやじさんは、ぴくりとして車《くるま》を止《と》めました。

「だれだっ。」

たぬきが、上《うえ》をにらみつけました。すると、すぐそばの木《き》のてっぺんに、てんぐの黒《くろ》い影《かげ》が見《み》えるのです。長《なが》い鼻《はな》が、にょっきりとのびています。両足《りょうあし》を、ぶらぶらふりながら、てんぐは、もういちど、

「だいこんは、煮《に》えてるかい。」

と、からかいました。それから、けらけらとわらいながら、まるで、こうもりのように、となりの枝《えだ》へ、とびうつりました。たぬきは、すっかりはらをたてて、ぷーっとふくれましたが、木《き》のぼりは、にがてなので、おとなっぽく横《よこ》をむいて、

「あんなやつにかまっちゃいられない。おやじさん、知《し》らんふりして、どんどん進《すす》みましょう」と、いいました。

雪窓《ゆきまど》は、動《うご》きはじめます。うしろで、てんぐが、いつまでも、高笑《たかわら》いしています。

屋台《やたい》は、峠《とうげ》にさしかかりました。

するると、目《め》の前《まえ》に、ばらばらっと、たくさんの影《かげ》がとびだしてきて、たちまち一列《れつ》にならんで通《とお》せんぼをしたのです。そして、声《こえ》をそろえて、

「ゆきまどさん、ごちそうしておくれ。」

と、さけびました。みんな、目《め》ばかりぴかぴか光《ひか》っています。

「ごちそうしなけりゃ、通《とお》さないよ。」

それは、まだ、子《こ》どもの声《こえ》でした。おやじさんが、よくよく目《め》をこらすと、どれもこれもおそろいのパンツをはいて、頭《あたま》に、二本《ほん》ずつ、角《つの》があるのです。

「鬼《おに》ですよ。」

と、たぬきが、ささやきました。

「……だけど、どれもまだ、ちんぴらだ。うまくごまかして通《とお》りぬけましょう。」

おやじさんは、うなずくと、やさしい声《こえ》で、こういいました。

「あいにく、今夜《こんや》は、ひっこしでね、なんにもないんだよ。」

すると、子鬼《こおに》たちは、声《こえ》をそろえて、

「ほんとうかあ？」と、聞《き》きました。

おやじさんは、おなべのふたをあけて、

「ああ、ほんとうだ。このとおり、からっぽだ」と、答《こた》えました。それから、たぬきが、もっとやさしい声《こえ》でいいました。

「こんど、野沢村《のざわむら》まで食《た》べにおいで。」

すると、子鬼《こおに》たちは、いっせいに、小《ちい》さな片手《かたて》をつきだして、

「そんなら、ひきかえ券《けん》おくれ」と、いうのです。

「よしよし」と、たぬきは、うなずきました。それから、ちょっと見《み》えなくなったと思《おも》うと、笹《ささ》の葉《は》を十枚《まい》ほど集《あつ》めてきて、子鬼《こおに》たちに、くばりはじめました。

「さあ、ひきかえ券《けん》だ。これを持《も》って、野沢村《のざわむら》までくれば、おでんひと皿《さら》、無料《むりょう》サービスするぞ。」

おでん
でん雪窓
おさけ

子鬼《こおに》たちは、よろこんで、きゃっきゃとさわぎました。おやじさんは、そのようすを、楽《たの》しそうに、見《み》ていました。

小《ちい》さい美代《みよ》も、木《こ》の葉《は》で遊《あそ》んだのです。目《め》をとじると、美代《みよ》のおもちゃになった、さまざまの木《こ》の葉《は》が、うかんでくるのでした。

ままごとのお皿《さら》になった木《こ》の葉《は》、かるたになった木《こ》の葉《は》、舟《ふね》になった木《こ》の葉《は》、そして、雪《ゆき》うさぎの耳《みみ》になった木《こ》の葉《は》——。

こんこん小山《こやま》の子《こ》うさぎは
なぜにお耳《みみ》が長《なご》うござる
母《かあ》さんのぽんぽにいたときに
笹《ささ》の葉《は》かやの葉《は》食《た》べたゆえ
それでお耳《みみ》が長《なご》うござる

美代《みよ》にうたってきかせたわらべ歌《うた》が、うかんできました。ところがいま、それとおんなじ歌《うた》を、子鬼《こおに》たちは、うたいながら、遠《とお》ざかってゆくのです。

こんこん小山《こやま》の子《こ》うさぎは
なぜにお目々《めめ》が赤《あこ》うござる
母《かあ》さんのぽんぽにいたときに
赤《あか》い木《こ》の実《み》を食《た》べたゆえ
それでお目々《めめ》が赤《あこ》うござる

「ま、子鬼《こおに》でよかった。
親鬼《おやおに》では、とてもあん

おでん
おさけ

なぐあいにはいかないから」と、たぬきが、つぶやきました。

おやじさんは、うなずいて、また、屋台《やたい》をひっぱりました。

「おまえ、寒《さむ》くないかい。」

片手《かたて》でえりまきをなおしながら、おやじさんは、聞《き》きました。たぬきは、元気《げんき》に答《こた》えます。

「へい、ちーっとも。」

こんな冬《ふゆ》のさなか、ほんとうなら、たぬきは穴《あな》の中《なか》で冬《ふゆ》ごもりをするのですが、毎晩《まいばん》飲《の》んだお酒《さけ》のせいでしょうか、それとも、商売《しょうばい》が、あんまりおもしろいせいでしょうか、ことしは、寒《さむ》くも眠《ねむ》くもならないのでした。

峠《とうげ》をすぎて、道《みち》は、すこしずつ下《くだ》り坂《ざか》になりました。

「もうすこしだぞー。」

はげますように、おやじさんがいったそのときです。つめたい雪《ゆき》のかたまりが、ぴしゃっと顔《かお》に落《お》ちてきて、横《よこ》から、なんだか、ぞっとするほどきみのわるいものが、とびだしてきました。

「ひゃーっ、ひとつ目《め》だーっ。」

と、たぬきがさけびました。おやじさんも、このときばかりは、背《せ》すじがぞーっとして、両手《りょうて》で顔《かお》をおおうと、思《おも》わず、とびのきました。

と、そのひょうしに、たいへんなことがおきました。屋台《やたい》が、ひとりで、走《はし》り

だしたのです。雪《ゆき》の下《くだ》り坂《ざか》を、屋台《やたい》は、あかりをつけたまま、ごろごろと、ころげおちてゆきました。

「待《ま》てー。」

おやじさんとたぬきは、あとを追《お》いかけました。けれど、いきおいのついた屋《や》台《たい》は、そりよりも、馬《うま》よりもはやいのです。

「おーい、ゆきまどーお。」

「ゆきまどやーい。」

雪窓《ゆきまど》の、四角《しかく》いあかりは、ずんずん小《ちい》さくなりながら、遠《とお》ざかってゆきます。

（だいじな商売道具《しょうばいどうぐ》だ。）

おやじさんは、死《し》にものぐるいで走《はし》りました。走《はし》りながら、ふと、さっきのあれは、ほんとに、ひとつ目《め》だったかしらと思《おも》いました。

「おやじさん、もうだめです。とてもとても、追《お》いつけません。」

うしろで、たぬきが、あえぎあえぎいいました。ふりむくと、たぬきは、しっぽだけ、ぱたぱたさせながら、しゃがみこんでいます。おやじさんも、ひどくつかれていましたから、半分《はんぶん》あきらめて、歩《ある》きはじめました。

「ふもとへ行《い》けば、なんとかなるだろう。」

ほっと、ため息《いき》まじりに、おやじさんはそういいましたがきっとそのときには、屋台《やたい》はもう、ガタガタで、使《つか》いものにならないだろうなと思《おも》いました。

「まったく、きゅうに、いのししみたいに走《はし》りだすんだから。」

おやじさんとたぬきは、よろよろと山《やま》をおりました。

4

山《やま》のふもとの、野沢村《のざわむら》の入《い》り口《ぐち》あたりに、雪窓《ゆきまど》は止《と》まっていました。ぽつんと、まるで赤《あか》いてんとう虫《むし》のように。

「あれだ、あれだ。」

ふたりは、かけだしました。

雪窓《ゆきまど》のあかりは、しだいに大《おお》きく見《み》えてきます。オレンジ色《いろ》のあかりは、ちゃんと、四角《しかく》い窓《まど》のかたちをしていて、その中《なか》で、のれんが、ぴらぴらゆれています。

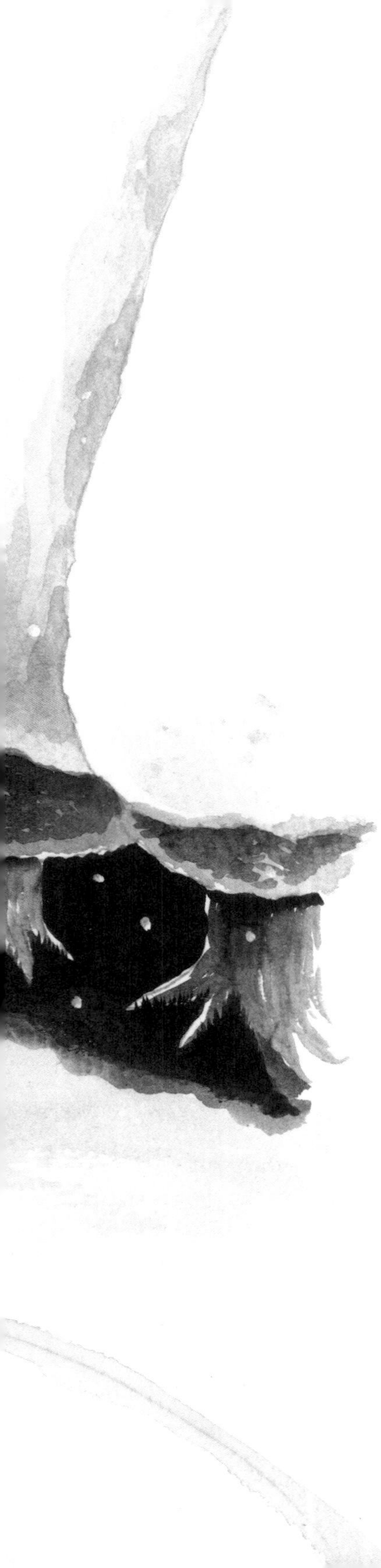

「ありがたい。屋台《やたい》はぶじだ。」

ところが、これは、どうしたことでしょう。屋台《やたい》の中《なか》に、人影《ひとかげ》が見《み》えるのです。

そのうえ、おでんのゆげまであがっているのです。

そう、雪窓《ゆきまど》は、開店《かいてん》していたのです。たしかに、たしかに……。

(そんなはずはあるもんか。)

おやじさんは、目《め》をぱちぱちさせながら、山《やま》をかけおりて、よくよくそばまで行《い》きました。

すると、屋台《やたい》の中《なか》には、なんと、あのかくまきの娘《むすめ》が——そうです、美代《みよ》にそっくりのあの子《こ》が立《た》って、にこにこわらっているのでした。おなべの中《なか》では、おでんが、どっさり煮《に》えています。

「いらっしゃいまし。」

娘《むすめ》は、明《あか》るい声《こえ》をあげました。

「お、おまえ……いつのまに……。」

きゅうに、おやじさんは、胸《むね》があつくなりました。なんだかわけがわからないままに、もう涙《なみだ》がでるほどうれしくなりました。

「おまえ、ごちそうしてくれるのかい。」

おやじさんとたぬきは、いそいそと、いすにすわりました。

「ふうん、たまにお客《きゃく》になるのも、いいもんだねえ。」

おやじさんは、おなべの中《なか》をのぞきこんで、

「それじゃ、ひと皿《さら》もらおうか。」

と、いいました。娘《むすめ》は、うなずいて、お皿《さら》に、だいこんや、こんにゃくをならべました。

「じつは、あんたに、手袋《てぶくろ》を返《かえ》してあげたいと思《おも》ってね。」

おやじさんは、ふところから、いそいそと、あの手袋《てぶくろ》をとりだしました。すると、娘《むすめ》は、うれしそうにわらいました。

「わざわざ、峠《とうげ》をこえてきてくれたんですね。」

そして、手袋《てぶくろ》を、左手《ひだりて》にはめました。見《み》ると、右手《みぎて》には、もうちゃんと、片方《かたほう》の手袋《てぶくろ》をはめていたのです。それから、とても楽《たの》しそうに、こういいました。

「これは、ふしぎな手袋《てぶくろ》です。これをはめると、右手《みぎて》は、とびきりおいしいおでんをつくります。左手《ひだりて》は、お客《きゃく》をたくさん集《あつ》めます。」

雪ん

娘《むすめ》は、左手《ひだりて》を、高《たか》だかとあげて、四方八方《しほうはっぽう》にむかって、おいでおいでをしました。

すると、どうでしょう。

真夜中《まよなか》だというのに、あっちからもこっちからも、ぞろぞろとお客《きゃく》が集《あつ》まってきたのです。ほっかむりをした人《ひと》もいます。背広《せびろ》の人《ひと》もいます。長《なが》ぐつをはいて、ジャンパーを着《き》た人《ひと》もいます。自転車《じてんしゃ》の人《ひと》もいます。子《こ》どももいます。まるで、お祭《まつ》りの晩《ばん》のように、あとからあとから人《ひと》がきて、おでんを食《た》べては、お金《かね》を置《お》いて帰《かえ》ってゆくのでした。

おやじさんとたぬきは、あっけにとられて、とろんとした目《め》で、このようすを見《み》ていました。

「さあ、おいしいおでん、雪窓《ゆきまど》のおでん。」

娘《むすめ》の、すきとおった声《こえ》が、あたりにひびいて、雪窓《ゆきまど》のあかりは、ひと晩《ばん》消《き》えませんでした。

雪窓
おさけ

5

翌朝《よくあさ》、野沢村《のざわむら》の入《い》り口《ぐち》に、小《ち》いさな屋台《やたい》が止《と》まっているのを、巡査《じゅんさ》が見《み》つけました。屋台《やたい》の長《なが》いすには、主人《しゅじん》らしい男《おとこ》と、たぬきが一匹《ぴき》、うずくまって眠《ねむ》っています。

「おい、おきろ。」

巡査《じゅんさ》は、ふたりを、ゆりおこしました。おやじさんは、むっくり顔《かお》をあげて、あの娘《むすめ》をさがしました。

けれど、娘《むすめ》の姿《すがた》はどこにもなく、目《め》の前《まえ》には、びっくりするほどたくさんのお金《かね》が置《お》いてあったのでした。

(こ、こりゃ、ゆうべの売《う》り上《あ》げ金《きん》だ。)

おやじさんは、目《め》をまるくしました。巡査《じゅんさ》は、ひやかすようにいいました。

「ゆうべは、だいぶはんじょうしたらしいね。」

「へえ。」

「それで、つかれてうたた寝《ね》したんだろ。もうすこしで、こごえるところだよ。」

「へえ。」

頭《あたま》をかきかき、おやじさんは思《おも》いました。あれは、やっぱり、美代《みよ》だったと。

すると、胸《むね》の中《なか》がほうっとあたたかくなってきて、おやじさんは、ひとりでいくどもうなずきました。

安房直子（あわ なおこ）
東京都に生まれる。日本女子大学在学中より、山室静氏に師事。大学卒業後、同人誌『海賊』に参加。1982年、『遠い野ばらの村』（筑摩書房）で野間児童文芸賞、1985年、『風のローラースケート』（筑摩書房）で新美南吉児童文学賞、1991年、『花豆の煮えるまで』でひろすけ童話賞を受賞。1993年、肺炎により逝去。享年50歳。没後も、その評価は高く、『安房直子コレクション』全7巻（偕成社）が刊行されている。

長谷川あかり（はせがわ あかり）
多摩美術大学グラフィックデザイン学科卒業。受賞歴に「ちょんまげタワー」で第9回、「すやすやおうごく」で第11回MOE創作絵本グランプリ佳作受賞。『ドーナッツじけん』で第17回タリーズピクチャーブックアワード絵本大賞受賞など。絵本に「ようかいのもり」シリーズ（大日本図書）、『てんごくまえデパート』（文研出版）がある。ニベアクリーム2021年限定デザイン品のパッケージと絵本を担当した。

本書に収録した作品テクストは、下記を使用しました。
『安房直子コレクション1 なくしてしまった魔法の時間』（偕成社）

安房直子 絵ぶんこ⑤

雪窓

2024年6月30日　初版発行

安房直子・文
長谷川あかり・絵

発行所／あすなろ書房
〒162-0041　東京都新宿区早稲田鶴巻町551-4
電話03-3203-3350（代表）
発行者／山浦真一

装丁／タカハシデザイン室
印刷所／佐久印刷所
製本所／ナショナル製本

ISBN978-4-7515-3205-8　NDC913　Printed in Japan